D1482282

© 2012, l'école des loisirs, Paris

Loi 49956 du 16 juillet 1949,
sur les publications destinées à la jeunesse.
Dépôt légal : septembre 2012
ISBN 978-2-211-20940-3

Mise en pages : *Architexte*, Bruxelles
Photogravure : *Media Process*, Bruxelles
Imprimé en Italie par *Grafiche AZ*, Vérone

Grand Guili

Texte de Jean Leroy
illustrations d'Emmanuelle Eeckhout

Pastel
l'école des loisirs

Quand je monte me coucher,
j'ai toujours peur de rencontrer
Grand Guili.

Et si, ce soir, Grand Guili était caché
derrière la porte de ma chambre ?

Et s'il était tapi
sous le lit ?

Oh ! J'entends la porte
qui grince...

Ça y est ! C'est lui !
Grand Guili !

Au secours !
Grand Guili chatouille
mes petits pieds.

À l'aide ! Il grattou
mon petit ventre.

Non, Grand Gu
Pas sous les bras

Stop, Grand Guili !
Je t'en supplie.

Hi hi hi !

À mon tour, Grand Guili !

Je piétine ton gros bidon.
Je tire sur ton vilain nez.
Je...

Pitié, Petit Guili !
Tu as gagné !

Tiens, tiens, je connais cette voix.
C'est…

celle de mon papa !

Bonne nuit, P'tit Louis.
Bonne nuit, Papa Guili.